HOFFMANN · PETRULUS HIRRUTUS · DER STRUWWELPETER

PETRULUS HIRRUTUS

«DER STRUWWELPETER»

SIVE
FABULAE LEPIDAE ET PICTURAE IOCOSAE
QUAS INVENIT AC DEPINXIT
HENRICUS HOFFMANN
DOCTOR MEDICINAE

PICTURAS SECUNDUM HOFFMANNI EXEMPLAR
DELINEAVIT ET LIGNIS INCIDIT
FRIDERICUS KREDEL

VERSICULOS IN SERMONEM LATINUM TRANSTULIT
EDUARDUS BORNEMANN

GEORG OLMS VERLAG
WEIDMANNSCHE VERLAGSBUCHHANDLUNG

Bibliografische Information der Deutschen Nationalbibliothek

Die Deutsche Nationalbibliothek verzeichnet diese Publikation
in der Deutschen Nationalbibliografie;
detaillierte bibliografische Daten sind im Internet über
http://dnb.d-nb.de abrufbar.

2. Nachdruck der Ausgabe Frankfurt/M. 1956,
© Rütten & Loening Verlag GmbH
Olms – Weidmann, Hildesheim 2010
Printed in Germany
Gedruckt auf säurefreiem und alterungsbeständigem Papier
Herstellung: Druckhaus Friedr. Schmücker GmbH, D-49624 Löningen
ISBN 978-3-615-00244-7

PRAEFATIO

Parvis obsequentibus
multa donat Christulus.
Qui iuscellum comedunt
neque panem neglegunt,
et qui non tumultuantur,
cum in ludis occupantur,
et qui non, cum spatiantur,
matris manum aspernantur:
hisce donat et optatum
librum pulchre picturatum.

1. DE PETRULO, PUERO HIRRUTO

Ecce — fu! — statutum
Petrulum hirrutum!
Pecti comam non sinebat,
annum iam non recidebat
ungues; nam et forficem
oderat et pectinem.
„Fu!", vocamus, „tute
Petrule hirrute!"

2. DE FRIDERICO MALEFICO FABULA

En Fridericum, Fridericum
maleficum et impudicum!
Hic domi muscas capiebat
et iis alas evellebat.
Caedebat aves atque sellas,
necabat feles vel tenellas.
Progressus summum in furorem
quin flagellabat et sororem.

Ad fontem canis magnus stabat
et ore placido potabat.
Obrepsit ei Fridericus
flagellum gestans impudicus
et canem male verberavit,
tum ululantem vel calcavit.
Repente canis morsu saevo
infertur eius cruri laevo.
Per bracam scissam intrant dentes
in venas sanguinem fundentes.
Iam clamitavit Fridericus
et lacrimavit impudicus.
Sed canis domum properavit,
flagellum ore deportavit.

Nunc puer lectulo tenetur,
cum crure graviter vexetur.
En medicum sedentem gnarum,
qui sucum ei dat amarum.

Sed canis interim consedit
ad morsi mensulam et edit
farcimen iecore confectum
et libum saccharo contectum.
Has dapes postquam devoravit,
ne vino quidem temperavit.
Flagellum secum en habebat
et acriter custodiebat.

3. DE FLAMMIFERIS FABULA TRISTISSIMA

Parentes ambo discesserunt,
Paulinam solam reliquerunt.
Haec saliendo per conclave
dum cantat carmen leve, suave,
conspexit en fasciculum
flammiferorum parvulum.
„Haec", inquit, „sunt bellissima,
ad ludum vel aptissima.
Ramenta statim singula
incendam ut matercula."

Tum duae feles assidentes
priora cruscula tollentes
illique pedibus minatae
„Hoc pater vetuit!" sunt fatae.
„Miau!" clamabant et „mio!
Abstineas, te moneo!"

Paulina non oboediebat.
Ramentum clare candescebat.
Ut flagret, sonet flammula,
demonstrat imaguncula.
Paulina valde delectatur,
huc illuc saltibus versatur.

Sed ambae feles assidentes
priora cruscula tollentes
illique pedibus minatae
„Hoc mater vetuit!" sunt fatae.
„Miau!" clamabant et „mio!
Abicias, te moneo!"

Eheu! nunc ignem concipit
praecincta vestis, corripit
en flamma crines, manus — vae!
iam totum corpus miserae.

Et ambae feles miserantur
unaque voce lamentantur:
„Adeste, heus!, celerrime
flagranti, oh!, miserrime!
„Miau!" clamabant et „mio!
Auxilio! Auxilio!"

Combusta prorsus est puella;
restare vides de misella
et cineres fumantes hos
et calceos bellissimos.

Hic parvae sedent et fideles
lugentes deflentesque feles:
„Miau, mio! Miau, mio!
Parentes quid morantur, oh?"
Et lacrimae bonarum fluunt,
ut rivuli per prata ruunt.

4. DE PUERIS ATRATIS FABULA

En atrum M a u r u m ambulantem
colore corvum adaequantem.
Quod sol ad cerebrum tendebat,
umbella caput defendebat.
Heus, L u d o v i c u s advolavit;
vexillum suum apportavit.
C a s p a r u s venit concitatus
suaque spira subornatus.
G u i l l e l m u m simul accurrentem
videtis circulum ferentem.
Hi pusiones cachinnabant,
clamando Maurulum spectabant
et atramento comparabant.

En magnus venit Nicolas,
fert magnum atramenti vas.
„Me, parvi", inquit, „audiatis
nec Maurum nigrum illudatis!
Nam eius nulla culpa fit,
ut Maurus hic non albus sit."
Sed illi non oboediverunt
virumque sanctum irriserunt;
et iam cachinnant denuo
de nigro Mauro misero.

Nunc Niclas quantum irascatur,
pictura nostra demonstratur.
Ad pusos manus porrigit
et membris, veste corripit
Guillelmum atque Ludovicum
nec non Casparum impudicum.

In atramentum demerguntur,
clamantes quamquam renituntur;
in magnum eos totos vas
immergit magnus Nicolas.

Atratos ecce peccatores:
vel Maurulo sunt atriores.
Sub sole nigrum denigrati
sequuntur, turpiter foedati.
Qui, nisi nimis irrisissent,
non poenas meritas dedissent.

5. DE VENATORE SAEVO FABULA

Venator saevus en recenti
indutus veste praevirenti
sclopetum tollit, peram captat
et perspicilla naso aptat.
Per campos cito spatiatur
et necem lepori minatur.

Is autem foliis latebat
et nil videntem illudebat.

Paulatim solis ardor crescit,
sclopetum nimis ingravescit.
Invitat ecce venatorem
umbrosum gramen ad soporem.
Quo viso lepus clam obrepit,
stertentis iam sclopetum cepit,
arreptis una perspicillis
discedit passibus tranquillis.

Ipsius leporis en illa
aptata naso perspicilla.
In venatorem dirigit
sclopetum, is dum aufugit
et clamitat: „Auxilio!
Auxilio mi misero!"

Advenit ad puteolum
venator nunc altissimum.
Timore captus insilit,
cum lepus globum conicit.

Fenestram iuxta considebat
illius uxor et sorbebat
caffaeum. Testa en contusa
„Vae", clamat, „vae mihi!" confusa.
Sedebat casae proximus
clam leporis filiolus
in gramine. Huic fervidum
caffaeum spargit nasulum.
Clamavit: „Quis me sic adussit?"
manuque ligulam concussit.

6. DE CONRADO POLLICISUGA FABULA

Mater suo C o n r a d o :
„Remanes, dum exeo.
Probus sis absente me!
Sed imprimis hortor te:
Cave rursus pollicem
sugas, aut huc forficem
tractans sartor est venturus
ilicoque desecturus
tuos pollices — securus,
quasi sit papyrus purus."

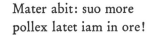

Mater abit: suo more
pollex latet iam in ore!

Ecce porta patefit
atque sartor irruit
intro, fertur protinam
in pollicisugam iam
amputatque — dira res —
forfice huic pollices,
acri magna forfice.
Frustra clamas, Conrade!

Mater postquam rediit,
tristem pusum invenit:
manibus truncatis stat,
pollices desiderat.

7. DE CASPARO, PUERO IUSCULISPERNACI, FABULA

Casparus hic pinguissimus
est puer ac sanissimus.
Quam rubrae buccae stant in ore!
Iuscelli notus est amore.
Sed quondam — en — repudiat
iuscellum atque clamitat:
„Abstineo me iusculo!
Me iusculo abstineo!"

Iam aliquanta macie
Casparus est postridie.
Sed iterum repudiat
iuscellum atque clamitat:
„Abstineo me iusculo!
Me iusculo abstineo!"

Eheu, ut die tertio
elanguent membra puero!
Sed insanire obstinat
et denuo repudiat
iuscellum atque clamitat:
„Abstineo me iusculo!
Me iusculo abstineo!"

At quarto die puerum
non differas ac filulum:
vix librae pondus habuit.
Et quinto — mortem obiit.

8. DE PHILIPPO, PUERO OSCILLACI, FABULA

„Philippusne hodie
assidebit placide?“
ante cenam serio
dixit pater filio.
Mater perspicillis iuta
circumspexit mensam muta.

Sed Philippus aspernatus,
quod est pater modo fatus,
vacillavit,
oscillavit,
palpitavit
et nutavit:
labat sella horride.
„Puer, istud piget me!“

Liberi, nunc attendatis!
Oculos huc advertatis
in Philippum improbum
oscillantem nimium!
Sella cadit — en — retrorsum;
ille frustra curvat dorsum.
Clamans dum mantele captat,
ecce secum vasa raptat,
pocla, patinam, lagenam:
pater non iam servat cenam.
Mater perspicillis iuta
circumspectat mensam muta.

Nunc Philippus est contectus
atque lapsus est perfectus.
Qui a patre appetuntur
cibi, humi pervolvuntur,
ius et panis, frusta cuncta;
est vel patina defuncta.
Adstant manus attollentes
en parentes, irascentes,
nil, quod edant, iam habentes.

9. DE IOHANNE AERISPICE FABULA

Hannes cum in ludum it,
semper caelum suspicit:
nubes et hirundines
dignae sunt suspectu res.
Ante pedes non spectabat,
quaqua puer ambulabat.
Spatiantem qui videbant,
„aerispicem" ridebant.

Nuper canis occurrebat.
Hannulus non avertebat
vultus a sublimibus.
Tum a nullo monitus,
ut vitaret incurrentem
et conflictum imminentem,
ruit super bestiam:
ambos en iacentes iam.

Ibat Hannes aliquando
flumen versus properando.
Capsam portans spectat sursum
et hirundinum in cursum.
Alveo iam proximus
graditur improvidus.
Pisces tres coniunctim nantes
demirantur id hiantes.

Ultimus nunc gradus fit:
praeceps Hannes decidit.
Pisces illi horruere
seque statim abdidere.

Forte duo devenerunt
viri, casum qui viderunt.
Ita contis est captatus
et e fluvio servatus.

Vides madidatum stare!
Non est istud ioculare!
Nam decurrit aquae vis
crine, veste, bracchiis;
totam faciem perfusus
miser iam algescit pusus.

Pisces autem adnaverunt;
caput aqua protulerunt
atque rident una tres.
Nonne audis? Mira res!
Quando desinent ridere? —
Capsam undae deduxere.

10. DE ROBERTO VOLANTE FABULA

Pluviae cum defluunt,
venti campos perstrepunt,
tum et puer et puella
domi maneant in cella!
Id R o b e r t u s recusavit,
foris gaudia speravit:
sub umbella pervagatur
campi lamas et laetatur.

Hui, procella sibilat!
Arbores ut agitat!
Ventus nunc umbellam capit,
puerum sublime rapit.
Audit nemo clamitantem
auras alte pervolantem.
Iam attingit nubila
avolante causia.

En umbella Robertusque
volitant per nubes usque;
ante volat causia
alta versus sidera.

Quonam deportaverit
illos ventus, nemo scit.